B.

BARGEN Y BRENIN

Glenys Lloyd

GOMER

Argraffiad cyntaf—2001

ISBN 1 89502 978 7

Dymuna'r cyhoeddwyr gydnabod cymorth Adrannau Cyngor Llyfrau Cymru.

Dymuna'r awdur gydnabod y gystadleuaeth a noddwyd gan Eisteddfod Genedlaethol Bro Colwyn 1995 pan enillodd hi Wobr Llandybïe am 'Casgliad o ddeg o straeon arswyd a/neu ffantasi i ddarllenwyr tua 12-14 oed'.

Dylunio clawr: Olwen Fowler

Argraffwyd gan
Wasg Gomer, Llandysul, Ceredigion SA44 4QL

1

Caeodd Ed y drws. Llyncodd ei boer. Clywodd gar ei rieni'n rhuo i lawr y lôn i gyfeiriad yr ysbyty, ac yn diflannu i grafangau'r nos.

Gwrandawodd ar waelod y grisiau rhag ofn fod Iolo bach wedi deffro yn ei lofft. Ond roedd pob dim yn ddistaw fel y bedd.

Edrychodd Ed ar ei wats. Pum munud wedi naw! A'r ffilm ar fin dechrau! Pwysodd un swits ar ôl y llall gan oleuo'r tŷ i gyd, rhag ofn. Yna sgrialodd o'r cyntedd i'r parlwr, heibio'r plu estrys roedd Anti Myfanwy wedi eu cael o wlad dramor ryw dro; bellach, chwifient yn egsotig dros gewyll y bwjis fel golygfa allan o ffilm am yr Hen Aifft.

Yn sydyn dyma'r adar yn dechrau sboncio ar eu siglenni, ysgwyd y bariau'n wyllt a checru canu fel nythaid o frain: Macsen Wledig, Elvis, James Bond, Hitler a Lleucu Llwyd. Beth oedd yn bod? Doedd dim smic i'w gael ganddyn nhw funudau'n ôl, pan fu'n eu bwydo efo hadau a dŵr yn ôl gorchmynion Anti Myfanwy.

'O caewch hi, wnewch chi, hogia?' arthiodd Ed wrth yr adar. 'Cofiwch am Iolo bach, sssh!'

Syllai Lleucu Llwyd arno â'i llygaid oer cyn crafangu'n wyllt ymysg y peli o faw a hadau ar lawr y cawell.

'Sss-sss-ssssss-sssssh! Dyna hogan dda! Tyrd â sws-glec i mi . . . Mmm,' llyfodd Ed ei wefusau sychion. Ych—roedd yna flas drwg ar ei dafod.

'*Pretty* Myfanwy!' sgrechiodd yr aderyn yn ei wyneb.

Gwelodd Ed y llun cyfarwydd o'i fodryb yn gwenu arno o'r wal. Edrychai'n hardd ac yn ifanc mewn iwnifform smart a'i botymau'n sgleinio. Iwnifform Byddin Ddirgel Ffrainc yn erbyn y Natsïaid, y Résistance Française.

''Fanwy, 'Fanwy, 'Fanwy!' crawciai'r bwjis mewn cytgord.

'Rhagor o hadau?' gofynnodd Ed i'r côr. 'Ond da chi, byddwch ddistaw wnewch chi, y blwmin byjis? Mae Anti Myfi'n sâl yn y 'sbyty!' Pwysodd yn araf ar ei eiriau fel pe bai'n cyhoeddi diwedd y byd.

''Sbyty, 'sbyty, 'sbyty!' ategodd Macsen wrth dorri gwynt o'i big fel arogl wyau drwg. 'Sâl, sâl, sâl,' sgrechiodd Elvis a Lleucu Llwyd ar draws ei gilydd. 'Anti, Anti, Anti!' cwynfanodd James Bond yn drist.

'S-Â-L' torrodd llais Hitler ar draws y clebran fel cleddyf. 'HA!' a siffrydodd awel fach fileinig o'i fwstás pluog hyd at ei big.

'Hei!' bloeddiodd Ed ar draws y cecru. 'Dydy Anti ddim yn destun sbort, wyddoch chi! Dim parch, dim hadau, reit?'

Distewodd yr adar ar unwaith.

'Rŵan ta. Dach chi'n gwybod y sgôr. Mae hi

yn yr ysbyty ers wsnos, fel dwi 'di ddweud 'tha chi ganwaith! Maen nhw 'di galw Mam a Dad yno ar frys heno a dw inna'n gorfod gwarchod Iolo. Dwi isio llonydd i weld y ffilm, iawn? Plîs? Er mwyn Anti?'

Ond dal i dorri gwynt a wnâi Macsen. 'Y sglyfath drewllyd, Macsen! Anti druan, mi fydd hi angen pob owns o gỳts sy ganddi hi i bara drwy'r nos, medda Dad a Mam.'

Crawciai'r adar yn fyddarol yn eu cewyll sigledig. O'r parlwr cyhoeddai'r teledu eu rhaglenni am y noson.

And now we present THE ERL KING, our controversial horror film by the distinguished director, Hansel Von Strunckel. Part two will be televised after the nightly news.

'Ow!' griddfanodd Lleucu, gan blygu ei phen yn dorcalonnus.

'Dyna ddigon,' meddai Ed, gan ddiflannu i'r parlwr at y teledu a chau'r drws ar ei ôl.

Deng munud wedi naw!

Bachodd y teclyn, cododd y sain a suddodd yn ddiddos i glustogau'r soffa.

Eisoes yn y ffilm roedd carnau'r ceffylau'n carlamu ar draws y sgrin i rythm miwsig Gothig a sŵn udo'r cŵn hela.

Dym-y-di-dym. Dym-y-di-dym. Dym-y-di-dym-y-di-dym-dym.

Ymosodai'r marchogion ar y tlodion â'u cleddyfau creulon. Roedd y trueiniaid yn ceisio dianc i'w cytiau-morgrug ar gyrion y goedwig gan lefain a chodi eu babanod a'u bwndeli o goed tân o'r baw.

Yn sydyn, rhwygodd mellt a tharanau drwy'r tywyllwch a daeth haid o adar ysglyfaethus o nunlle gan wibio o gyfrwy i gyfrwy, o helmed i helmed, o un faneg fetal i'r llall i chwilio am fwyd. Carlamai'r ceffylau ymlaen ac ymlaen trwy'r brigau—clec, clec, clec!

A phob tro, llwyddai'r marchogion i ffoi rhag pob perygl, gan gael eu hamddiffyn gan holl bwerau Uffern a'r Fall. Fe wibion nhw heibio gan adael y pentref rhwng y cŵn a'r brain. Chwifiai'r canghennau moel fel bysedd sgerbydau. Yna, mewn llannerch unig yn nyfnder y goedwig, gwelodd y marchogion hen fwthyn a golau gwan yn disgleirio o'r ffenestr.

Llanwyd y sgrin â maneg ddur anferthol—maneg y brenin oedd ar flaen y gad.

'Stop, Knights!' *meddai'r is-deitlau.* 'This is the place.'

Stelciai ei was ufudd yn sinistr wrth ei gwt, dyn boldew byr a'i drwyn yn rhedeg.

'More peasants to pile on the fire, my Lord?' *meddai'r sinach bach.*

Chwarddodd y gatrawd gan ddychryn holl anifeiliaid y maes. A churodd y Brenin ddrws y bwthyn deirgwaith â'i gleddyf mawr. Diflannodd llygoden i degell rhydlyd ymysg y drain a'r mieri, a llwynog i'w ffau. Plymiodd mochyn daear i'w loches, ond sleifiodd gwiber yn rhy araf drwy'r llaid. Cafodd ei sathru dan draed nes oedd yn un rhibidirês o jeli seimllyd.

'I smell Death ahead!' *meddai'r geg fawr ddanheddog oedd yn llenwi'r sgrin.*

Crawciodd cigfran uwchben. Curodd y faneg ddur ar y drws deirgwaith. Llanwyd y sgrin â mwgwd du Brenin y Fall a'i glogyn du oedd yn siffrwd yn y gwynt.

'Aaaaaa!' sgrechiodd Iolo bach o'r llofft gan roi andros o fraw i Ed.

Neidiodd ar ei draed. Clustfeiniodd am eiliad neu ddwy. Roedd y bwgan ar y sgrin wedi tanio ei ddychymyg; roedd yn ei atgoffa o Darth Vader, a'r *Vikings*, heb sôn am y milwyr mewn lifrai metel a laddodd Llywelyn ein Llyw Olaf.

Clustfeiniodd eto. Doedd dim sŵn i'w glywed o stafell wely Iolo.

Agorodd y drws i'r cyntedd yn ofalus a symudodd i waelod y grisiau. Yng ngolau'r lamp syllai Anti arno'n llawen o'r llun. Roedd hi'n arwres, wedi achub cannoedd o Iddewon—yn enwedig y plant—o grafangau'r Natsïaid adeg yr Ail Ryfel Byd, 1939-1945.

'Iolo oedd yn cael hunllef, Anti,' sibrydodd Ed wrth y ffotograff. 'Fel'na mae babis. Teletybis a phoen-yn-bol ac Wcw yn un cawdel yn 'i feddwl bach o. A hynny ar ben potel lawn o lefrith a llwyaid o Galpol. Does dim rhyfedd, nacoes?'

Syllai Anti yn ôl arno fel ffilm-star, yn fythol ifanc a thlws. Roedd pawb yn ei hedmygu, pawb a ddeuai i'r tŷ a welai'r llun ffantastig hwn. Edmygai'r teulu hi yn fwy na neb.

'Wel Anti Myf, dwi'n llwgu. Be dach chi'n awgrymu? Pitsa? Jest y peth wrth wylio ffilm arswyd! A Mam a Dad newydd ddeud na chawn i'r un *video-nasty* o siop Spar. Hwyl!'

Aeth Ed i'r gegin. Tyrchodd am bitsa yng ngwaelod y rhewgell. Rhoddodd hi yn y meicro, oedd wedi ei brynu'n anrheg i Anti oddi wrth Dad a Mam y Nadolig diwethaf, 'rhag iddi losgi'i hun i farwolaeth efo'r hen stôf 'na,' meddai Mam, 'a hithau ddim gymaint o gwmpas 'i phetha ag y buo hi erstalwm pan oedd hi'n lambastio'r Natsïaid . . .'

Brensiach y byd, meddyliodd Ed, roedd Anti Myfanwy bron yn gant oed bellach! Pwy fase'n meddwl? A hithau mor sionc ac yn llawn sbort—nes iddi syrthio yn y goedwig wrth hel coed tân yr wythnos ddiwethaf.

Dweud ddaru Anti Myfanwy, meddai Mam cyn ei heglu hi am yr ysbyty, ei bod hi wedi dychryn wrth glywed rhyw hen geffylau'n carlamu tuag ati a'u carnau'n taro unwaith, ddwywaith, deirgwaith . . . Dym-y-di-dym, felna'n union. Ond doedd 'na neb i'w weld o gwmpas, chwaith!

Trodd Ed yn ôl at y ffilm. Dal i sbarduno'r ceffylau a rhuo ac ysbeilio a wnâi'r Brenin a'i griw.

'Brysia'r ffŵl!' dwrdiodd Ed y meicro, 'dwi'n llwgu,' a dechreuodd fusnesu mewn hen gwpwrdd. Cafodd hyd i faryn o Mars wedi llwydo a phentwr o hen lythyrau, a lluniau pert o Anti pan oedd hi'n ifanc. Roedd un llythyr mewn Ffrangeg oddi wrth rhyw Pierre. Ei chariad erstalwm, tybed? cysidrai Ed. Gallai ddeall ambell air, fel *Je t'adore . . . La Résistance . . . L'amour . . . Paris . . . Belsen . . . Au revoir ma chérie. Pierre XXX,* ond ni allai wneud pen na chynffon o'r gweddill.

Caeodd Ed ddrws y cwpwrdd yn glep ar hen gyfrinachau ei fodryb. Ac wrth ddisgwyl 'ping' cloch y meicro, ac yna wrth agor y drws a glafoerio dros y pitsa, ystyriai'r bachgen sut yn y byd roedd rhywun a fu unwaith mor bert â ffilm-star yn medru newid gymaint, o fod yn ifanc i fod mor hen ac unig? Catherine Zeta Jones mewn cartref hen bobl! Y Spice Girls yn prynu *anti-wrinkle cream*! Anti druan, oedd mor ddewr yn ei dydd, a bellach mor wan.

Crynai Ed hyd fêr ei esgyrn. Roedd yn gas ganddo feddwl am henaint a salwch; am ei rieni'n heneiddio. Ac yntau hefyd ryw ddydd! A Iolo! Roedd yn gas ganddo feddwl am ddyletswydd, hyd yn oed at ei rieni, heb sôn am ei fodryb. Ond meddyliai amdani rŵan yn gorweddian ar ei gwely yn Ward 666, yn brwydro am ei bywyd brau, yn gaeth o dan nadroedd o wifrau trydan yn pwmpio cyffuriau i'w chorff esgyrniog. Druan ohoni!

Byddai'n well o'r hanner ganddo petai o'n ôl ym Mhen Llŷn ar ôl diwrnod hir o feicio efo Gej a Gwil ac Elen. Yn lle hynny dyma fo'n gorfod aros yn Llansantedwyn yn ofni'r tywyllwch a holl ddiafoliaid y Fall a'u crafangau oer.

Roedd y ffilm ar fin ailddechrau. Sgrechiodd y babi dros y tŷ. O na! Niwsans, meddyliodd Ed yn ddiamynedd.

'Ocê, ocê, y swnyn bach, dal d'afael wnei di?' a llamodd o'i nyth yn yr hen soffa i ddiffodd sŵn y teledu. Yna rhuthrodd at y drws fel roedd Brenin y Fall yn cripian trwy'r coed i gyfeiriad ffenestr y bwthyn a'i gleddyf yn ei law.

Yn y ffilm llosgai cannwyll wrth erchwyn y gwely lle gofalai'r tyddynwyr am eu plentyn sâl. Roeddynt yn rhy dlawd i fforddio na meddyg na ffisig. Griddfanai'r bychan yn ei wely rhacsiog, yn laddar o chwys a'i wyneb yn fflamgoch. Syllai ei lygaid enfawr o'r nyth o flancedi rhacsiog. Dechreuodd riddfan a chrafu ei groen—crafu, crafu, crafu.

Dychrynwyd ei rieni. Gwelsant y tywyllwch

oddi allan, a chrafanc ddur Brenin y Fall yn curo'r ffenestr unwaith, ddwywaith, deirgwaith.

Methai Ed â thynnu ei sylw oddi ar y sgrin. Methai'n lân â symud yr un cam. Gallai glywed ei frawd bach yn crio ac yn griddfan yn y llofft, ond ni allai symud cam. Syllai'n ynfyd ar y ffilm, ar y Mwgwd Du, a'r Faneg fel crafanc dur—ac ar y plentyn tlawd.

Yna gwelodd Ed y plorod gwynion yn codi ar groen y bychan ac yn ffrwydro dros ei wyneb, un ar ôl y llall. Llifai hylif gwyrdd aflan allan ohonyn nhw—dros ei freichiau, a'i goesau matsys, a thrwy ei wallt.

'Naaaaa!' sgrechiodd ei rieni. 'Y Pla!'

2

Dychrynodd Ed hyd fêr ci esgyrn. Dechreuodd deimlo rhyw hen gosi rhyfedd ar hyd ei groen, ar ei gefn, ar ei goesau a'i freichiau, yn ei wallt, ar ei dafod, y tu mewn i'w glustiau. Dechreuodd grafu ei groen yn ffyrnig. Ofnai'r gwaethaf.

Y Pla! Yma yn Llansantedwyn, ger Ysbyty Gwynedd? A lôn fawr yr A55 a threfi mawrion Caer a Lerpwl a Manceinion o fewn cyrraedd hawdd? Na! Erioed! . . . O brensiach y byd, beth am ei frawd bach?

Yna teimlodd Ed rhyw rym nerthol o rywle yn ei dynnu at y sgrin fel magned, yn hawlio ei holl sylw, yn ei lusgo gorff a meddwl i mewn i'r set deledu, i mewn i'r ffilm! Ac yn peri iddo garlamu gyda'r milwyr, dym-y-di-dym, gyda'r Brenin ei hun!

'STOP, KNIGHTS!' *bloeddiodd y Mwgwd Du.* 'Sharpen your swords!' *Yna trodd yn syth at Ed a'i dafod yn glafoerio dros ei ddannedd miniog.* 'Cydiwch yn eich arfau! A ble mae dy gleddyf di, y Bachgen o Fangor, y? Y cachgi bach!'

'Un o Ben Llŷn ydw i . . . y . . . syr!' *atebodd Ed mewn llais main, ofnus.*

‘Wfft ac ymaith ag ef!’ *gorchmynnodd Brenin y Fall.*

‘Ar y tân â fo i’w losgi, O Arglwydd? Neu i’r carchar i’w stretsio ar yr olwyn?’ *gofynnodd y gwas. Cydiodd yn Ed, a’i sodro’n galed yn erbyn coeden dderwen. Teimlai Ed stribedi o groen ei gefn yn codi fel petai’n afal yn cael ei blicio.*

‘Aw! Aw! Edi! Edi!’ sgrechiodd Iolo bach o’r llofft.

Ceisiodd Ed ei ateb a gweiddi’r geiriau ‘I-O-L-O! D-A-L D-Y A-F-A-E-L!’ ond teimlai pob sill fel glud ar ei dafod, fel carreg yn ei wddf. Ddaeth yr un gair o’i geg.

O’r diwedd daeth ato’i hun. Brasgamodd i fyny’r grisiau, dri gris ar y tro. Sut y gallai ddychmygu’r fath nonsens, a’i frawd bach mewn poen? Beth ddywedai ei dad a’i fam ac Anti Myfanwy? Doedd dim esgus am y fath flerwch. Ie, dychmygu’r cyfan oedd o, siŵr iawn; y cosi ar y croen, y gwas creulon am ei waed, a’r sgwrs ofnadwy honno efo’r brenin.

Ar y landin disgleiriai golau trydan o bob ystafell o’i gwmpas, fel llwybr clir iddo o fyd y tywyllwch i’r byd go iawn. Goleuni da i’w amddiffyn o a’i frawd rhag byd y cysgodion ac ofnau, a rhag holl bwerau Uffern a’r Fall.

‘Iolo!’ gwaeddodd eto wrth sglefrio dros y carped at lofft ei frawd bach.

Yn sydyn stopiodd y crio torcalonnus. Clustfeiniodd Ed. Beth oedd yn bod? Gallai glywed y bychan yn anadlu'n braf yn ei gwsg. Mentrodd drwy'r drws agored. Cafodd gip ar y babi'n swatio'n ddel yn ei gòt, gan gydio'n dynn yn ei flanced lwli-bei.

Breuddwydio oedd o, debyg, meddyliodd Ed; breuddwydio am y Teletybis yn cwffio efo Wcw a'i bluo i swper. Melys cwsg potes maip!

Sleifiodd yn ofalus i lawr y grisiau. Aeth yn syth yn ôl at y teledu. Ond teimlai'n euog y tro hwn, fel petai'n gwneud drygau ac yn mynnu dal ati.

Roedd y teledu'n hollol fud. Beth ddigwyddodd i'r sain? Yna cofiodd. Ef ei hun a'i diffoddodd dro yn ôl, siŵr iawn! Do? Naddo? Pwysodd fotwm y teclyn awtomatig i godi'r sŵn, ond i ddim pwrpas. Gwrthodai'r peiriant bob gorchymyn gwyllt. Ysgydwodd y teclyn. Archwiliodd y batris. Pwniodd y teledu—un, dau, tri. Roedd yn dyheu am weld y ffilm unwaith eto, a chael ei dynnu i mewn i'r stori.

Dim gair. Dim ond yr is-deitlau'n dawnsio ar draws y sgrin fud, ar draws golygfa o'r fam yn gweddïo wrth erchwyn gwely ei phlentyn. A storm Awst yn ysgubo trwy'r goedwig a'r tad yn miniogi ei fwyell.

Pwniodd Ed y clustogau ar y soffa yn flin. Ystyriodd ddiffodd y ffilm yn gyfan gwbl, i arbed yr holl hasl. Ond pa obaith oedd ganddo i gysgu heno cyn i'w rieni ddod adref? Pwysodd ar y botwm sain dro ar ôl tro, wedi gwylltio'n llwyr. Dim smic.

A dyna sut y bu iddo sylwi ar yr adar.

Mor rhyfeddol o ddistaw oedden nhw! Fel y bedd. Erbyn meddwl, roedden nhw wedi bod yn ddigon di-grawc ers tro. Ers iddo glustfeinio ar waelod y grisiau, a dweud y gwir, wrth glywed sŵn y babi.

Sgrialodd Ed i'r cyntedd at y cewyll adar.

Yn nistawrwydd y nos, siffrydai'r plu estrys yn y drafftiau oer a chwythai drwy'r hen dŷ. A llithrai hen niwl tamp, drewllyd o dan y drysau a thrwy'r ffenestri a'r tyllau-llygod yn y sgertin, o dan y lloriau gwichlyd, gan gosi ei draed fel sidan sinistr.

Ymledai'r niwl ar ei hynt drwy Tŷ'n-y-Coed, Lôn y Mynydd, Llansantedwyn, Bangor, Gwynedd, Cymru, Prydain, Ewrop, a'r byd; y niwl du hwn a ddeuai o'r goedwig a'r sgrin, ac o gegau agored yr adar; niwl du, dieflig a chwythai heibio i Ed ac Iolo hyd encilion pellaf y bydysawd.

Hongiai pob cawell, a phob siglen fach, yn llonydd. Cerddodd Ed yn araf, araf tuag at y gawell gyntaf. Gwasgodd ei drwyn rhag cael ei fygu gan yr arogl wyau drwg.

'Macsen? Macsen Wledig?'

Gorweddai'r aderyn ar wastad ei gefn ar lawr ei garchar.

Symudodd Ed at y nesaf.

'Elvis? Wyt ti yna?'

Doedd dim ymateb.

'James Bond? . . . Bond? James Bond?'

Hwnnw hefyd.

'A Hitler, mae'n debyg?'

Roedd Hitler yn gorwedd yn gelain oer ymysg y baw a'r llaca ar waelod ei gawell, a'i fwstás du fel briw cleddyf ar draws ei wep.

'O na! A Lleucu hefyd? Lleucu fach ddel?'

Gorweddai ffefryn ei fodryb a'i phlu wedi'u plethu dros ei bron. Llifodd y dagrau dros fochau Ed.

'Ond be dd'wedith Anti Myfanwy?'

Llanwyd ei ffroenau â drewdod erchyll.

Sgrechiodd Iolo o'r llofft, yn ddigon uchel i godi cŵn Caer.

Am yr eildro llamodd y bachgen i fyny'r grisiau, dri gris ar y tro, a'r drewdod yn llenwi ei ffroenau, yn glynu at ei wallt, ei ddillad, ei groen a blaenau ei fysedd. Erbyn iddo gyrraedd y llofft roedd Iolo'n ysgwyd barrau ei gòt yn ffyrnig, y dagrau'n llifo i lawr ei fochau cochion, a'i drwyn yn rhedeg.

'Iolo bach! Tyrd yma, 'ngwas i!'

Cododd ei frawd yn dyner a'i lapio yn ei flanced *Mickey Mouse*.

'Poen yn bol sgen ti? Ti isio i mi 'i rwbio fo? Na?'

Stranciodd y bychan a'i gicio yn ei asennau am ei drafferth. Beth oedd wedi cydio ynddo fo, tybed?

'Isio Mam, isio Dad!'

'Fyddan nhw'n ôl toc,' meddai Ed, gan geisio'i siglo i'w dawelu, ond heb fawr o lwyddiant.

'*Fel y llong ar gefn y lli—*

Felly mae ein bywyd ni,

Weithiau'n deg ac weithiau . . .

Na? Beth am hwn ta . . . ?

Ah wanna be—yeeoour Dream Maker . . .'

Sgrechiodd Iolo eto.

'Ssh! Paid â chodi ysbrydion!' jociodd Ed. 'Yli, llun Mickey!' a chydiodd yn y flanced a'i dangos i'r bychan.

Daeth sgrech annaearol arall o geg Iolo.

'Yli Wil Cwac Cwac! Yli Teletybis ac Wcw! 'Tisio stori? Na? Yli golau!' a dangosodd y bylb bach coch ar ffurf cannwyll i'w frawd.

Disgleiriai'r lamp yn glyd ar y bwrdd wrth ochr y còt bach del. Y còt bach oedd yn llawn o flancedi drud a ffrils ffansi. Cofiodd Ed am y gannwyll wêr yn y bwthyn llwm, y plentyn gwanllyd, a'r plorod gwyrdd yn byrstio, prrrp, prrrp, prrrp. Daeth sgrech ar ôl sgrech o geg Iolo, oedd yn glafoerio fel mochyn bach.

'O tyrd i lawr grisia 'ta'r niwsans, neu mi golla i'r ffilm i gyd!' gwaeddodd ei frawd mawr yn ddi-amynedd. 'Cau hi'r pen nionyn!' a chariodd y plentyn bach yn ofalus i lawr y grisiau, heibio cewyll distaw y bwjis a'r plu estrys drostynt.

Roedd yr arogl wedi diflannu.

Chwarddodd y babi a'i lygaid bach yn disgleirio.

'Yr hen lwynog slei i ti!' Cosodd Ed ei fol. 'Isio sylw wyt ti, yntê? Ti'n well rŵan, wyt ti? Go dda!'

Sbonciodd Iolo yn llawen yn ei freichiau. Sychodd Ed ei ddagrau ar ei grys-T. Sylwodd ar yr amser ar ei wats.

'Brysia! Ti'n ffansïo pitsa? Gwranda, mae'r ffilm ar fin ailddechrau!'

'Pw! Pw pw!' chwarddodd y babi.

'Twt, mae'r hen oglau pw 'na wedi mynd rŵan,' atebodd Ed, 'ond pwy gododd y sain ar y teledu, tybed?' meddai, gan droi ei lygaid yn ôl at y ffilm.

'Potel, potel!' mynnodd Iolo wrth iddyn nhw gyrraedd drws y parlwr.

'O, rwyt ti'n rhy hen i gael potel rŵan. Yli ceffylau! Yli dyn drwg! Yli babi yn y gwely! Ti'n dallt Almaeneg? Na?'

Ysgydwodd y babi ei ben.

'Finnau chwaith. Dim gair. Dwi'n dallt tipyn o Ffrangeg.' Sodrodd Ed ei frawd bach yng nghornel y soffa, ymysg pentwr o hen glustogau tapestri, gwaith llaw Anti dros y blynyddoedd.

Yn y ffilm daeth Brenin y Fall drwy'r goedwig am yr eildro a churodd deirgwaith ar ffenest y bwthyn moel. Cododd y rhieni eu hwynebau ato mewn braw.

Sgrechiodd y fam. Rhuthrodd y tad yn wyllt at y drws a'i agor, a'i fwyell yn ei law. Ond roedd y milwyr dieflig wedi mynd. Chwythai'r dail o'r coed yn oerwynt y nos a llithrodd tylluan wen heibio fel ysbryd. Ymhell, bell dros y mynydd-dir udai cŵn yr Helwyr. Atseiniai carnau eu ceffylau trwy'r goedwig, rhywle yn y pellter.

A fyddan nhw'n dod yn eu holau, tybed? meddyliodd Ed, ar bigau drain i rannu'r stori.

O'r diwedd caeodd y tad y drws, a throdd at y fam, oedd wrthi'n sychu dafnau o chwys oddi ar dalcen eu plentyn.

'They've gone, my dear, but they'll be back a third time,' *meddai'r is-deitlau,* 'you know that, don't you?'

'I know, Karl. You don't have to hide it from us, does he, Manfred, my brave boy?' *a daliodd gwpanaid o ddŵr wrth wefusau'r bychan.*

Byrstiai plorod y pla dros ei gnawd cignoeth. Llyncodd yn ufudd a'i lygaid ar ei dad, llygaid gobaith am wellhad, llygaid sgerbwd brau ar fin torri.

'You won't let the Erl King come and get me, will you, father?'

'No, son. He'll try three times, they say, before . . . but only at night!'

'Karl!' *sgrechiodd y fam.* 'Don't say such a thing. You know he's been twice already! Oh, what if . . .'

3

'Pw!' bloeddiodd y babi wrth gropian at y teledu.

'O na!' ochneidiodd Ed o'r soffa. 'Tisio cael newid dy glwt, felly?'

'Pw!' mynnodd Iolo, gan daro'r sgrin â'i fys bach, unwaith, ddwywaith, deirgwaith.

Roedd niwl du yn chwyrlïo o gwmpas ei goesau. Dechreuodd Iolo gosi a chrafu ei groen. Ni sylwodd Ed. Roedd yn rhy brysur yn yfed y Coca-Cola a llowcio ei bitsa. Yn sydyn, taranodd y miwsig o'r sgrin, a sgrech tylluan a brefiad hen ddafad yn y cefndir. Cropiodd y bychan am ei fywyd.

'Dyna ti, y corach.' Stwffiodd Ed ddarn o'i bitsa i geg ei frawd, ac yna'r diferyn olaf o'i ddiod.

Gloywodd ei lygaid bach glas a'i fochau cochion.

'Iyms?' gofynnodd Ed yn glên. 'Deud diolch.'

'Iyms,' atebodd y crwt, gan ddal i grafu, crafu, crafu.

Cododd Ed o'r soffa i gau'r llenni. O gwmpas Tŷ'n-y-Coed, ar draws y caeau unig, clywodd sgrech tylluan wrthi'n hela ei phrae, ac ambell ddafad yn brefu ar fynydd-dir Eryri.

Cofiodd Ed fel y bu i'r haul ddiflannu'n sydyn dros y môr heno, toc cyn i'w rieni fynd allan, oriau maith yn ôl. Yn od o sydyn. Diflannu o'r golwg i gyfeiriad ei gartref ym Mhen Llŷn, meddyliodd yn hiraethus.

Codai gwynt y nos. Chwipiai drwy'r goedwig fel storm Awst. Awst oedd hi! Gwyliau'r haf! A'i ffrindiau'n bell i ffwrdd. Tynnodd y llenni'n gyflym i guddio'r tywyllwch.

Chwarter i un ar ddeg. Crynodd Ed. Cyhoeddodd y teledu yr egwyl a rhaglen am ryfel cartref yn rhywle.

''Sgen i'm 'mynedd efo *Atrocities at Ten,* 'sgen ti?' meddai wrth ei frawd bach. 'Gormod o drais a chreulondeb . . . Ew, ti'n hen gwmni iawn ar adeg fel hyn, wsti! Tisio diod arall o Coca-Cola? Be, tun cyfan?'

Roedd y babi'n wên i gyd. Yn sydyn sylwodd Ed ar ei fochau fflamgoch, a'r perlau bach o chwys yn cronni ar ei dalcen. A sylwodd arno'n crafu, crafu, crafu.

Chwys? Chwain? Neu . . . plorod? Ffrwydrodd y panig trwyddo draw. A dal i grafu a chrafu wnaeth y bychan a thynnu gwaed a swnian 'Pig pig pigo!'

'P . . . pigo?' sgrechiodd Ed. 'Lle sy'n dy bigo di?'

Cafodd ei wthio'n ôl at y soffa gan y pwff o wynt mwyaf drewllyd ers oes Pla Llundain a'r adeg pan arferai pobl daflu cynnwys potiau-dan-gwely allan trwy'r ffenestri.

O'r teledu y deuai'r drewdod. Sut? Ceisiodd Ed

ddadansoddi'r posibiliadau. Gwydr, metal a phlastig, dyna'r cyfan oedd teledu. Tybed oedd yna ryw ran ohono wedi chwythu? A doedd yna ddim byd gwaeth nag aroglau plastig yn llosgi, yn enwedig ar Noson Tân Gwyllt.

'Pw!' cwynodd Iolo bach, gan grafu croen ei wyneb, a edrychai'n debyg i wyneb ei dad wedi i hwnnw ei dorri ei hun wrth siafio.

'Whiw!' allai Ed mo'i rwystro'i hun rhag cyfogi fel ci. Wedyn, mentrodd bwyso ei drwyn yn erbyn y sgrin. 'Peiriant arall ar y blinc, debyg,' meddai, gan bwnio'r set deledu yn ei dymer.

Cafodd ei wthio'n ôl gan ryw rym rhyfedd o'r sgrin. Glaniodd ar lawr ar wastad ei gefn. Doedd bosib bod y peth yn fyw? Oedd gan y teledu y modd i'w sugno i mewn i'r set a'i daflu allan bob yn ail? Cofiai ei gaethiwed yn y ffilm. Od. Od iawn. Doedd o byth eisiau'r profiad hwnnw eto.

Gwelodd bwff o niwl du yn dianc o'r teledu ac yn chwyrlïo o'i gwmpas. Oedd, roedd yr arogl yn hen gyfarwydd iddo bellach. Yr un arogl â'r un a'i dilynodd i fyny'r grisiau heibio'r bwjis at lofft ei frawd. Wyau drwg, a thoiled budr. A rhywbeth arall. Beth?

'Y-y-y-y-y-y!' griddfanai'r babi wrth dagu ar ei bitsa a'i fys yn sownd yn y tun Coca-Cola.

'Poera fo, poera fo allan, y lembo! A thyrd â dy law yma!'

Neidiodd yn wyllt at Iolo i rwygo'r bwyd o'i geg. Erbyn hyn roedd ei wyneb bach yn dew dan blorod gwyrdd wrthi'n byrstio fel balŵns, prrrrp, prrrrp, prrrrp!

Llifai'r gwaed o fys bach y bychan. Rhoddodd Ed gic i'r tun i ben draw'r ystafell.

Dylsai wybod yn well. Roedd hi'n beryglus iawn stwffio bwyd i gegau plant bach, meddai Mam ac Anti Myfanwy. Clywodd unwaith am blentyn yn mynd yn hollol wallgof am weddill ei oes o ganlyniad i dagu ar fwyd!

'Melltith y nefoedd!' bloeddiodd dros y tŷ. 'Mam! Dad! Lle ar y ddaear ydach chi?'

'Wa wa wa!' beichiodd Iolo.

'A ti'n gwbod be 'sa Mam yn 'i ddeud, n'dwyt, Iol y Bol, heb sôn am Anti—"pwy faga blant!" Be maen nhw'n feddwl ydan ni, *rejects*?'

Trodd at ei frawd bach am gysur. Ond roedd y bychan wedi diflannu.

Hudwyd Ed at y sgrin. Gwelodd y Brenin yn carlamu tuag ato, at flaen y sgrin. Fel petai o am lanio ar ben Ed unrhyw eiliad, ac yntau'n sgrialu o gwmpas yn chwilio am ei frawd. 'Yr arswyd mawr! Iolo, lle wyt ti? Iolo!' bloeddiodd.

Newidiwyd ongl y camera, gan symud i mewn i'r bwthyn llwm. Yno plygai'r rhieni dros wely'r plentyn a oedd wrthi'n troi ac yn trosi yn ei racsiau, y sgerbwd bychan a'i wddf coch yn blastar o blorod gwyn. Plorod y Pla.

'I can hear hooves again, Karl, and hunting dogs yapping!' *dywedodd y fam,* 'and this is for the third time!'

'Yes, my dear,' *atebodd y tad,* 'but he's still a long way off. Try to rest now.'

'Oh no, he's here, he's here again! Do something, Karl! Swing your axe! Get him!'

'Don't let the Erl King take me this time, will you, Father?' *crefodd y claf.* 'He . . . he roasts children on the f-fire s-stuck through his s-sword, doesn't he? Like a p-piglet . . . aaarrrggg!' *a daeth sŵn rhwnc erchyll o'i geg, sŵn crafu esgyrn a rhincian dannedd.*

Rhwnc y meirw!

A gydol yr amser y tu allan i'r bwthyn deuai'r ceffylau'n agosach fyth. Ceffylau Brenin y Fall, am y trydydd tro.

'Iolo!'

Yn Nhŷ'n-y-Coed, ac Ed yn drysu'n lân yn poeni am ei frawd, hedfanodd tylluan o'r goedwig at y ffenestr. Cyhwfodd ei hadenydd ar y gwydr oer. Beth oedd y twrw yna draw yn y pellter? Dros y moelwyn unig? Taran? Ynteu carnau ceffylau?

'Iolo!' gwaeddodd Ed dros y tŷ wrth sbio'n syn ar y flanced *Mickey Mouse*. 'Tyrd yma'r gwalch bach!'

Ond tynnwyd ei holl sylw yn ôl at y ffilm, yn ôl at stori'r bwthyn a'r brenin a'i farchogion. At sŵn y rhwnc erchyll a'r bychan tlawd. Sŵn crafu esgyrn a rhincian dannedd a phlorod yn byrstio, prrrrp, prrrrp, prrrrp.

RIIWNC.

RHWNC? Gair Anti oedd hwnna.

Sŵn hyll fel diwedd y byd a phawb yn tagu i farwolaeth, ac yn syrthio oddi ar y blaned. Pawb yn cael eu llyncu i dwll mawr du efo dannedd fel morfil, i lawr, lawr, i waelodion y gofod.

'Iolo, Iolo, Iolo!' gwaeddodd Ed.

Chwiliodd yn wyllt amdano, o dan y bwrdd, yn y cwpwrdd, y tu ôl i'r llenni, yn y gegin a'r cyntedd, o dan glustogau'r soffa. Heibio ochr yr hen gloc mawr a rhwng y silffoedd llyfrau.

'AAARRRCHCHCH!' *chwydodd sŵn y rhwnc o'r ffilm, fel y llifai'r hylif gwyrdd o geg y bychan, afon o slwts ych-a-fi yn llawn o wastraff yr oesoedd. Methai ei fam yn lân â sychu'r llanast.*

'Iolo! Paid â chwarae'n wirion, PLÎS, 'sgen i'm 'mynedd!'

Daeth sŵn y rhwnc o geg y bychan eto—unwaith, ddwywaith, dair gwaith.

'Iolo! Tyrd allan y funud 'ma!'

RHWNC? DAIR GWAITH? Canodd hynny gloch yng nghefn meddwl Ed.

A chofiai Ed mai dyna'r sŵn oedd yn peri braw i Anti adeg yr Ail Ryfel Byd, fel y dywedodd hi droeon wrth y teulu—dros ginio, haf neu aeaf, barbiciw yn yr ardd neu swper wrth y tân. Sibrwd yr un hen stori trwy'r bregeth yn yr eglwys ac unwaith—am embaras!—wrth y til yn Tesco, yn adrodd y stori'n uchel a'r lle'n berwi efo pobl.

'Rhwnc!' gwaeddodd. 'Dach chi'n gwybod be 'di RHWNC, bobl?' bloeddiodd Anti a phawb yn sbio'n hurt arni. 'Wel, sŵn pobl yn marw—felna ydy o—aaarrrchchch—a ges i lond bol ohono fe yn Belsen, digon i ddychryn y diafol, rydw i'n deud 'tha chi. Sŵn sgerbydau hanner-byw. O! Pam dach chi i gyd yn sbio'n gas arna i?'

A dyma'r rheolwr yn ei llusgo hi allan drwy'r drws heibio'r dyn seciwriti.

'Sori, missus, ond tydy pobl ddim yn licio petha felna. Well i ni gael doctor atoch chi!'

A chofiai Ed ei chipio hi jest mewn pryd i mewn i dacsi Ifan Llan a ddisgwyliai ers hydoedd amdani a'i gloc-pres yn troi fel melin wynt.

'Iolo! Mam, Dad, brysiwch adra, da chi!' Torrodd Ed i grio o'r diwedd, wedi dal cyhyd.

Roedd yn beichio crio, ac yntau gyda'r dewraf yn nhîmau rygbi a phêl-droed yr ysgol, ac am y cyntaf i amddiffyn yr hogiau gwan rhag bwlis.

Chwiliodd yn orffwyll drwy'r tŷ am ei frawd bach. Yn ei wewyr edrychodd yn y llefydd mwyaf rhyfedd. Yn yr oergell. Yn y rhewgell fawr. Cofiodd glywed am blentyn yn mygu felly, a chael ei ddarganfod yn un lwmpyn oer. Chwiliodd yn y twll-dan-grisiau. Yn y fasged smwddio. O dan gewyll y bwjis. Yn y popty. Gwarchod pawb! Beth oedd y peth mawr pinc 'na yn y popty?

Diolch byth! Dim ond cyw iâr dydd Sul wedi llwydo! Dyna oedd yr arogl ofnadwy, siŵr iawn, meddyliodd, ac i ffwrdd ag o i fyny'r grisiau yn rêl boi. A thrwy'r amser dilynwyd ef gan y drewdod a ddeuai'n gyflymach ac yn gyflymach yn awr drwy pob twll a chornel. Yn gwibio ar ei ôl fel niwl llawn llwydrew o feddau Draciwla a'i sombis.

'Iolo, Iolo, Iolo!' galwodd.

Tagodd Ed. Llyncodd ei boer. Ceisiodd gadw'r cyfog i lawr. Rhy hwyr. Ond doedd dim byd wedi dod allan o'i geg. Dim hylif gwyrdd; dim afon wenwynig. Clywodd sŵn siffrwd y tu ôl iddo. Llygoden? Pry carped? Y gwynt? Roedd 'na goblyn o ddrafft ar ei goesau. Trodd i weld y niwl yn chwyrlïo o'i gwmpas. Yn lapio'i hun dros ei ddillad fel gwen-wisg corff mewn arch a hwnnw'n ei lusgo tua'r tywyllwch.

Sgerbydau? Marw? Belsen? Aeth ei ddychymyg yn wallgof. Syllodd ar ei fysedd a'i ddwylo a'i freichiau. Ond roedd digon o gnawd arno fo. Llond ei groen ohono, a dim un asgwrn i'w weld yn glir trwyddo.

Yn sydyn gwelodd, fe dybiai, lu o blorod gwyn yn codi ar gefn ei law dde, a'r un chwith hefyd, yn ei bigo fel cacwn. Y PLA? Yma? Go iawn? Llamodd i lawr y grisiau.

'Iolo!'

Plorod y pla! Y bychan yn gyntaf, yntau rŵan! Pwy nesa? Mam a Dad? Anti? Y pentre i gyd, a phawb yn yr ardal . . . a . . . a'r holl wlad? Y byd?

Ystyriodd y posibiliadau. Edrychodd ar ei ddwylo a'i freichiau. Na! Dim byd. Oedd o'n ddall neu rywbeth? Roedd ei groen yn berffaith glir, cyn iached â chneuen. Dychymyg ai peidio, roedd yna un posibilrwydd arall, yn nhŷb Ed. Ai'r pla oedd ar Anti? Ai esgus llwyr oedd yr holl fusnes 'na ei bod wedi syrthio yn y goedwig wrth hel coed tân? Tipical! Mam a Dad yn trio osgoi panics eto, yn celu'r gwir rhagddo, 'clustiau bach yn gwrando' ac ati. Siŵr iawn, dyna'r esboniad am ddiflaniad sydyn Anti i'r ysbyty! Roedd y pla arni. Hen firws a lechai yn ei chorff ers adeg Belsen yn atgyfodi, efallai. A dyna pam roedden nhw'n cael ystafell ar wahân iddi yn yr ysbyty! Wrth gwrs!

'O Mam a Dad, dewch adra, da chi!' bloeddiodd Ed dros y tŷ. Sut gallen nhw ei drin o fel hyn? Teimlai'r siom yn rhwygo fel cleddyf trwy ei gorff.

Rhuthrodd at y drws a'i agor. Roedd y cymydog agosaf atyn nhw'n byw ddwy filltir i ffwrdd—Kirsty Ellis a'i theulu.

Doedd dim golau car i'w weld yn unman. Gwgai'r mynyddoedd arno fel bwystfilod rheibus yn aros eu cyfle i'w gipio i'w hogofâu.

'Iolo, Iolo, Iolo!'

Caeodd y drws a'i gloi. Doedd y bychan ddim wedi dianc allan, siawns? Na. Bu'r drws ar glo ers i'w rieni ddiflannu. Roedd Ed yn berffaith siŵr o hynny. Heblaw fod rhywun arall wedi cripian i mewn, a'i agor rhywsut . . .

Dychrynodd am ei fywyd. Rhuthrodd at y ffôn. Rŵan amdani. Roedd ei fam wedi ysgrifennu'r cyfan yn ofalus iddo ei gael wrth law—999 ARGYFWNG—HEDDLU, TÂN, AMBIWLANS, a rhif Doctor Nia a Kirsty rhag ofn. Pwysodd fotymau rhif yr ysbyty'n gyflym ac yn galed.

Roedd y ffôn yn gwbl farw. Dim smic. Pam? O, be nesa?

Clywodd sŵn carnau ceffylau yn y pellter.

Dym-y-di-dym, dym-y-di-dym, dym-y-di-dym.

Roedd ofn yn stelcio dros ei groen fel byddin o darantiwlas, pob un yn brwydro am y gegaid orau o gnawd i'w gnoi a'i wenwyno.

Beth oedd y peth callaf i'w wneud?

Penderfynodd Ed roi un cynnig arall arni. Archwiliodd y parlwr yn fanwl. Symudodd pob dodrefnyn oddi wrth y wal a chwilio pob modfedd o'r lle yn ddyfal. Cafodd drafferth gyda'r hen soffa fawr. Roedd un o'i holwynion trwm ar goll. Gwrthododd y bwystfil â symud cam.

Tuchodd a phwffiodd Ed nes bod ei ysgyfaint bron â ffrwydro, ond yn ofer. Rhegodd yn uchel ac ildiodd y soffa o'r diwedd.

A dyna lle roedd Iolo bach yn gorwedd yn ddistaw, a'r cyfog gwyrdd wedi sychu'n grimp ar ei fochau coch.

Iych! Roedd cyfog y pla ar fochau Iolo! A'i fochau'n blastar o blorod yn byrstio, prrrrp, prrrrp, prrrrp, ac yn ddrewllyd fel draen. 'Run fath â'r creadur bach 'na yn y ffilm!

Ond roedd Iolo'n ddistaw fel y bedd.

Cyfogodd Ed hefyd, unwaith, ddwywaith, deirgwaith.

5

Yn yr ysbyty roedd newyddiadurwyr yn heidio at ddrws y ward lle gorweddai Anti Myfanwy.

Ward Dinlle, ystafell breifat 666.

Rhuthrai'r meddygon a'r nyrsys i mewn ac allan efo peiriannau a photeli a thabledi.

'Damia'r paparatsis!' dwrdiai Dad wrth nyrs ifanc a'i gwallt yn bigog-ddu fel y gigfran. 'Pam maen nhw'n heidio o gwmpas y lle 'ma, fel rhyw adar corff?'

'O 'dan ni wedi hen arfer efo'r enwogion yn y fan 'ma!' atebodd hithau'n rhadlon wrth sychu'r chwys oddi ar dalcen y claf. 'Bob tro mae 'na rywun yma o *Bobol y Cwm* neu ryw canwr pop wedi cael damwain mewn *Porsche*, maen nhw'n glanio arnan ni fel adar y ddrycin! A dyma ni rŵan efo'r hen ledi, ac maen nhw'n deud bod S4C am neud ffilm amdani'n achub y *Jews*, 'run fath â *Schindler's List*!' a chaeodd y drws ar yr holl halibalŵ.

'Ydy hi'n mynd i . . ?' mentrodd Mam ofyn o ddistawrwydd yr ystafell glinigol. Roedd ei llygaid yn llawn dagrau.

'Be-be ti'n feddwl?' torrodd Dad ar ei thraws.

'Wel,' atebodd y nyrs, 'mae hi'n dal ei thir—hyd yma, beth bynnag.'

Roedd hi'n tendio'n ffwdanus ar Anti Myfanwy er mwyn osgoi edrych yn syth i fyw llygaid Mam a Dad. 'Parablu oedd hi gynna am ryw Pierre, y gradures. Ac am y brenin! Ydy hynny'n gneud sens i chi?'

'O nyrs, edrychwch ar yr hen glwyfau 'na!' ebychodd Mam o'i chadair.

Gwelsant yr hen greithiau, ôl sigarennau'r Natsïaid, yn frith hyd freichiau tenau, brau Myfanwy. Roedd ei gwallt gwyn cwta fel hances o sidan ar ei phenglog a'i chroen yn denau fel papur, yn grychlyd o sych.

'Well i chi alw'r doctor yn ei ôl,' dywedodd Dad.

'Twt na,' mynnodd y nyrs yn fwy calonnog, 'dwi 'di gweld gwaeth. Mi ddaw hi drwy'r nos yn iawn, gewch chi weld. Mi ddywedodd hi ei hun mai dyma'r drydedd *false alarm* iddi hi ei gael.'

'Well i mi ffonio Ed,' dywedodd Mam, 'dwi'n dechrau poeni amdanyn nhw. Ed yn y tŷ 'i hun efo Iolo bach. Dylet ti fod wedi gadael i mi ffonio Kirsty i warchod . . .'

'Gwarchod?' meddai Dad. 'Ti'n gwybod yn iawn na wnaiff yr hogyn 'na ddim cymryd neb i'w warchod o bellach! Mae o'n ddigon call i edrych ar ei ôl ei hun a'i frawd bach am awr neu ddwy, siŵr iawn! A phrun bynnag, dwedaist ti gynna' bod Kirsty'n gweithio'n hwyr bob nos Wener.'

'Wel, dwi jest am bicio i'w ffonio fo, beth bynnag,' ac i ffwrdd â Mam i lawr y coridor i ddefnyddio'i mobeil.

Daeth Myfanwy ati ei hun a chododd ar ei heistedd, gan besychu ac anadlu'n drwm. Yr un pryd daeth chwa o ddrewdod o'i cheg, arogl wyau drwg.

'Ydy'r babi . . . Iolo . . . yn iawn?' gofynnodd mewn llais gwan, 'ac Edwyn?'

'Ydyn siŵr,' cysurodd Dad. 'Peidiwch chi â chynhyrfu rŵan, Anti.'

'Gorweddwch yn ôl ar y clustogau, Miss Jones,' ffwdanai'r nyrs. 'Fyddwch chi fel newydd erbyn fory. Gewch chi seinio *autographs* a chael eich llun yn y *Daily Post*.'

'Ro'n i methu cael *signal* ar y ffôn, ac mae 'na giw ofnadwy am y ffôn cyhoeddus,' cwynodd Mam, a ddaethai yn ei hôl yn syth bìn. 'Pawb isio siarad am hydoedd. Sut mae hi erbyn hyn?'

'Gofyn ar ôl y plant fel arfer, chwarae teg iddi,' atebodd Dad mewn hwyliau gwell. 'Yli cariad, ffonia di mewn hanner awr, dyna fydda orau, rhag ofn nad ydi Iolo wedi setlo eto. Ti'n gwbod fel mae o, cysgu'n ysgafn, clywed pob smic—'

'Ti'n iawn,' suddodd Mam i'w chadair wedi blino'n lân. Cofiodd iddi adael yr holl rifau ffôn pwysig rhag ofn fod Ed eu hangen. 'Ie, wir,' ochneidiodd hithau, 'neu mi fasa 'na goblyn o le yna, tasa'r ffôn wedi'i ddeffro fo. Ond wyt ti'n meddwl ein bod ni wedi gneud peth call yn gadael i Ed aros ar ei draed i weld y ffilm 'na?'

'Wel do siŵr,' atebodd Dad yn ddiamynedd. 'Mae o wedi arfer efo'r hen bethau arswyd 'na.'

'Mm, wel—'

'O, ti'n dandwn gormod ar yr hogyn. Tydi plant heddiw'n cael gweld pob math o sothach ar y teledu a hynny'n cael dim effaith o gwbl arnyn nhw?'

'O dwn i ddim am hynny,' dywedodd y nyrs, 'mae 'na hen dacla digon hy o gwmpas lle dwi'n byw bob nos jest, niwsans rhonc.'

Gwenai Myfanwy'n fodlon o'i nyth o glustogau glanwaith.

'Cerwch adre rŵan, blantos,' meddai hi, fel petai Dad dal i fod yn nai bach ifanc iddi. 'Adre, shwwww, at eich babis wir. Dach chi'n lwcus 'u bod nhw gynnoch chi o gwbl. Mae 'na storm ar y ffordd. STORM AWST! ACHUBWCH Y PLANT!'

Syllodd y tri arni'n gegrwth.

'O cerwch, da chi,' mynnodd y nyrs, gan chwerthin, 'neu mi fydd pobl yn cwyno'ch bod chi'n cael ffafriaeth!'

'AAA aaa aaa aaa aa chchch!' gwaeddodd Anti Myfanwy'n sydyn. 'Clywch sŵn y ceffylau! A'r cŵn yn udo am gnawd ac esgyrn! Y brenin, y brenin, y brenin! Welais i o ym Mharis, pan oedden nhw'n fy mhoenydio fi, yn fy mhrifo i, yn tynnu 'ngwinedd i gyd.'

Brysiodd y ddau yn ôl at y gwely mewn braw.

'Y gradures,' dywedodd Mam, 'be sy o'i blaen hi, tybed?'

'Do wir—aaa aaa—a'r gwaed!' ffwndrai Myfanwy, 'ar hyd fy nwylo a 'nhraed—dwn i ddim sut wnes i ddal, wir, heb ddeud yr un enw—wnes i rioed fradychu neb!'

'Anti, be sy'n bod?'

'Ssshhh, Anti!'

'A welais i'r brenin yn Belsen, wedyn, do wir—a jest pan o'n i'n taro'r fargen honno dyma'n hogia ni'n cyrraedd a'n gollwng ni i gyd yn rhydd. Ond doedd Pierre ddim mor lwcus. "Sorry, madam, your date hasn't made it," medda'r Cyrnol wrtha i, "but we'll give him a decent burial." Ond—aaa aaa aaa—y sgerbydau oedd ar ôl yna! A dyma fo yma eto ar y gair, a'i geffylau a'r sŵn dym-y-di-dym, am y trydydd tro, un dau tri! Nefoedd yr adar! . . . O! Ydy'r bwjis yn iawn?'

6

Nid oedd Ed am fciddio cysgu winc tra oedd ei frawd bach yn gwingo yn ei drymgwsg. Rowliai ei lygaid o dan ei amrannau chwyddedig ac roedd ei galon fach yn carlamu i diwn carnau'r ceffylau.

Dym-y-di-dym . . .

Unwaith eto tynnwyd sylw Ed at y sgrin. Dechreuodd wylio'r ffilm fel petai rhyw nerth hypnotig yn denu ei lygaid ati.

Yn y bwthyn llwm cysgai'r fam yn swrth ar yr aelwyd, wedi ymlâdd. Pendwmpiai'r tad wrth erchwyn y gwely a'i law yn cydio yn llaw ei blentyn yn ei nyth o gynfasau rhacsiog.

Yn araf deg, yn beryglus o araf deg, syrthiodd y tad i gysgu.

Y tu allan yn y goedwig codai storm. Chwythodd y corwynt y drws yn agored. Maluriwyd y ffenestr fechan. Chwyrlïodd ambell ddeilen i mewn, ac ambell aderyn ysglyfaethus. Cigfran, ysguthan, pioden, yn crafu'n farus am fwyd o gwmpas y tŷ.

Ac yna daeth Brenin y Fall am y trydydd tro, yn ddistaw fel cysgod, rhwng cwsg ac effro, a'i glogyn mawr yn siffrwd yn y gwynt. Cododd y plentyn i fyny i'w freichiau anferth â'i faneg o ddur a dygodd ef ymaith fel lleidr i'r tywyllwch.

Erbyn y bore roedd y storm wedi chwythu ei phlwc. Ond pan ddechreuodd yr adar ganu ym mrigau'r coed, deffrodd y fam a'r tad yn waglaw. Roedd eu plentyn wedi mynd am byth. O'r funud honno bydden nhw'n casáu ei gilydd, y naill yn beio'r llall. Sut y bu iddyn nhw gysgu, hyd yn oed am eiliad?

'Der Erlkönig!' *sgrechiodd y fam gan bwyntio'n geryddgar at y tad.* 'The Demon King!' *meddai'r is-deitlau.* 'King of Darkness!'

Help! Dyna hunllef go iawn, meddyliodd Ed. Druan o deulu'r ffilm! Ysgydwodd ei hun yn effro. A dyna wers i minnau hefyd! Bob munud, deuai hen flinder affwysol drosto, blinder peryglus iawn. Ond brwydrai ymlaen i sychu'r chwys oddi ar dalcen ei frawd, a'r hylif gwyrdd o'i geg, a'r pẁs o'r plorod.

Ni feiddiai adael Iolo am eiliad, rhag ofn. Cariodd ef at y drws cefn lle hongiai hen gôt ffwr Anti Myfanwy. Lapiodd hi amdano.

Rhoddodd y bychan cysglyd i orwedd yn ei ôl, a phlygodd drosto, bron o'i go gan ofn, fel y gwelodd rieni'r ffilm yn ei wneud. Hunllef! Beth ar y ddaear oedd yn digwydd iddo fo ac Iolo? Ni fedrai ddioddef llawer mwy! Roedd hi'n amser diffodd y drwg. 'Diffodda'r teli felltith 'na'r funud ’ma!’ fel y byddai ei fam yn ei ddweud yn gyson.

‘Brenin y Fall, wir, dym-y-di-dym!’ cegodd Ed ar y sgrin gan bwyso’r teclyn i newid i’r sianel reslo.

Sgrechiodd Iolo. Deffrodd yn flin. Ac o’i geg daeth llifeiriant anhygoel o hylif drewllyd gwyrdd, yn dylifo dros fysedd Ed, i fyny ei lawes hyd at ei gesail. Ceisiodd sychu’r cyfan â’i grys-T, a’r flanced, a’r gôt ffwr. Ond llifodd y cwbl dros y clustogau a’r soffa a’r carped. Pwy feddyliai fod yna gymaint o sothach yn stumog un mor fach! Dim rhyfedd iddo weiddi mewn poen! Y bwbach bach barus efo’i bitsa, meddyliodd Ed.

‘Pw pw pw!’

‘Dyna ti, Iol y Bol. Fyddi di’n well rŵan, wedi cael madael â’r holl sothach ’na!’

Rhedodd am y gegin i nôl cadach gwlyb a Iolo o dan ei gesail. Ond llithrodd hwnnw o’i afael at y llawr a syrthiodd yn bendramwnwgl i ganol y pwll, gan dagu a gwingo. A thrwy’r amser dylifai’r afon ych-a-fi ohono. Doedd dim diwedd ar y peth.

‘Ych, ach, uuu!’ crawciai’r ddau frawd ar draws ei gilydd, gan lithro i bob man yn y llysnafedd drewllyd.

Stopiodd y llifeiriant yn sydyn.

Camodd Ed dros y smonach gan gydio fel gelen yn Iolo. Cael a chael oedd hi i gyrraedd y gegin heb lithro.

Tynnodd ddillad Iolo oddi amdano a'u gollwng i mewn i'r sinc. Rhoddodd drochfa i'r bychan o dan y tapiau. Chwarddodd Iolo ar y gêm newydd a llwyddodd Ed i'w sychu mewn hen gardigan oddi ar gefn y gadair. Gwisgodd ef mewn pyjamas Teletybis glân. Tynnodd ei grys-T yntau a thaflu'r budreddi i gyd i'r peiriant golchi, ei lenwi efo powdwr, a phwyso'r botwm.

Yna cofiodd am y bwjis. Beth ddywedai Anti Myfanwy? Beth ddywedai ei rieni?

LLE ROEDD EI RIENI? PAM NAD OEDDEN NHW ADRE ETO?

Ofnai Ed y gwaethaf am ei hen fodryb.

Cydiai'n dynn yn ei frawd bach wrth frysio i'r cyntedd. Dechreuodd ei wyneb yntau gosi'n boenus. Gwelai hylif gwyrdd ar big Macsen Wledig, Elvis, James Bond, Hitler a Lleucu Llwyd.

Roedd y drewdod yn anioddefol, arogl wyau drwg. Gwelodd ei wyneb yn y drych. Plorod! Plorod y Pla! Rhaid cael gwared o'r bwjis! Y bwjis oedd y drwg, meddyliodd yn ei banig. Dyna lle dechreuodd y cyfan. Brwydrodd i ganolbwyntio. Beth oedd y gwir? Brwydrodd i gadw'n effro. Brwydrodd yn erbyn ei hunllefau. Brwydrodd i gario ei frawd bach yn ei freichiau o le i le. Brwydrodd yn erbyn ei ddagrau. Syllodd arno'i hun am yr eildro yn y drych. Na. Doedd 'na ddim plorod. DIM PLA!

Estynnodd fag polythîn a phâr o fenig rwber o'r

gegin yn ei law rydd. Yna, fesul un, ysgubodd yr adar o'u cewyll a glanhaodd y lloriau gorau gallai. Rhoddodd gyrff yr adar yn y bag, a'i osod mor barchus â phosib yn y bin wrth y drws cefn.

Y tu allan rhuai'r corwynt dros dir a môr fel cri unig, bell yn brifo ei glustiau.

Edrychodd ar y bwndel: Macsen, Elvis, James Bond, Hitler a Lleucu Llwyd. Galarodd am funud ar eu holau, pob un, am anifeiliaid anwes ei fodryb druan.

Ei phlant.

Yna trodd i gau'r drws cefn yn glep. Clodd y drws yn ofalus yn erbyn y storm, a oedd erbyn hyn yn curo mor greulon yn ei erbyn, curo, curo, curo.

Gwelodd fod bochau'r bychan yn fflamgoch eto. Daeth rhyw flinder mawr drosto, a'r tro hwn rhaid oedd ildio. Troediodd yn drwm i'r parlwr a suddodd i gadair esmwyth a'i frawd bach yn ei freichiau. Teimlai'r gwres yn dianc ohono fel o bopty. Rhwbiodd gefn ei frawd. Gweddïodd am i'r storm basio heibio Tŷ'n-y-Coed. Gweddïodd am ddiflaniad Brenin y Fall a'i griw. Syrthiodd y ddau blentyn i gysgu.

Breuddwydiodd Ed am goesau'r ceffylau'n carlamu a chŵn yn dod yn nes ac yn nes a'i faglu i mewn i afon ych-a-fi. Unwaith, ddwywaith, deirgwaith yr achubodd Iolo o'r lli. A theirgwaith curodd Brenin y Fall ar y ffenestr a cheisio dwyn ei frawd o'i freichiau wrth stelcian fel lleidr o'r tywyllwch.

'Any more peasants to throw on the fire, my Lord?' crawciodd gwas y brenin—yr un hyll, boldew, dieflig, a'i drwyn yn rhedeg.

Breuddwydiodd Ed am y marchogion yn taranu ymaith i gyfeiriad y ddinas, ac i'r ysbyty, yn carlamu, carlamu, carlamu, at ei fam a'i dad ac Anti Myfanwy . . . yna'n diflannu. Gwelai Frenin y Fall ar flaen y gad efo'i fwgwd du a'i faneg o ddur a'i glogyn mawr yn chwyrlïo yn y gwynt.

'Dyna dy gosb di, Fachgen Bangor! Ha ha ha! A lle mae'r baban, y? Baban Bangor! Bachgen Bangor! I'r popty â nhw!'

'Na na na! Hogiau Pen Llŷn ydan ni, Iolo a finna, Syr!'

Breuddwydiodd wedyn ei fod yn garcharor yn ei freuddwyd, yn methu'n lân â dianc na sgrechian HELP, na rhedeg yn rhydd allan o'r ffilm. Rhedeg, rhedeg, rhedeg. Cysgai Ed yn drwm yn ei gadair, yn beryglus o drwm, a'i frawd bach yn ei freichiau.

Y tu allan, o'r coed ac o'r mynyddoedd deuai'r marchogion yn nes, a'u cŵn hela'n llamu'n chwim heibio'r ceffylau.

Yn sydyn, rhwygwyd y tywyllwch gan fellt a tharanau; daeth haid o adar ysglyfaethus o nunlle i wibio o gyfrwy i gyfrwy, o helmet i helmet, o un faneg fetel i'r llall, yn awchu am brae, yn sbarduno'r ceffylau ymlaen ac ymlaen drwy'r coed i gyfeiriad Tŷ'n-y-Coed, clec clec clec!

A phob tro, llwyddai'r criw i ddianc rhag pob

perygl, gan fod holl ddiafoliaid Uffern a'r Fall yn eu hamddiffyn.

Gwibiodd y lliaws heibio gan adael pentref Llansantedwyn rhwng y cŵn a'r brain. Ymestynnai'r canghennau moel fel bysedd ymbilgar, yn crafangu i'r awyr fel sgerbydau.

Yna, mewn llecyn unig ar bwys y goedwig, gwelodd y marchogion yr hen dŷ. Disgleiriai goleuadau llachar o bob ffenestr.

Roedd Brenin y Fall ar flaen y gad. 'Dyma'r lle! Arhoswch yma!' bloeddiodd.

'Mwy o'r cnafon i'w taflu ar y tân, O Arglwydd!' meddai ei was ufudd wrth ei gwt.

Cyhwfai cigfran grawclyd uwchben. Curodd y faneg ar y ffenestr—un . . . dau . . . tri . . . Dechreuodd y brenin ei hagor yn ddistaw bach, fel lleidr o'r tywyllwch.

7

Yn ôl yn yr ysbyty roedd Anti Myfanwy yn ffwndro am daro bargen â'r brenin.

'O, fedra i ddim dioddef rhagor o hyn!' criodd Mam. 'Aros di efo hi. Mi alwa i am dacsi i mi gael mynd adra at y plant y funud 'ma!'

'Wnei di mo'r fath beth, ar dy ben dy hun yr amser yma o'r nos!' bloeddiodd Dad arni mewn llais awdurdodol.

'Ond meddylia am y plant!' meddai Mam yn gynhyrfus.

'Mae'r gradures fach yn ddryslyd,' meddai'r nyrs ac ymestynnodd am ragor o dabledi cysgu. 'Pwy oedd y Pierre 'na, sgwn i? Ei chariad hi, debyg? Soniodd fy nhaid fod y Brenin wedi rhoi Victoria Cross iddi ym Mhalas Buckingham, a'i bod wedi derbyn medal arbennig gan lywodraeth Ffrainc.'

'Wel do . . . ond does wybod beth oedd holl hanes fy modryb, nyrs,' dywedodd Dad yn swta, 'ac mi fuaswn i'n ddiolchgar pe baech chi'n peidio â dweud dim wrth y Wasg am hyn! Rŵan ta, beth am alw'r doctor? Roedd 'na hanner dwsin ohonyn nhw yma gynna.'

'Sori, ond maen nhw i gyd 'di mynd *off-duty* a

dim ond mewn argyfwng rydan ni i fod i'w galw nhw.'

'Aaachchch!' gwaeddodd Myfanwy eto, 'naci wir, ddim yn y Palas welis i'r brenin. YN BELSEN! Y drws nesa i'r *gas chambers*!'

Syllai'r tri arni yn gegagored, heb fedru symud yr un blewyn bron.

'Brenin y Fall!' gwaeddodd yr hen wraig. 'Tyrd yma'r cnaf! Ac mi dara i fargen â ti'r funud 'ma! Unwaith, ddwywaith, deirgwaith! Y tro cyntaf—yn Paris oedd hi, ti'n cofio? Y tŷ mawr crand 'na yn yr Avenue Foch? Yn llawn o bobl yn sgrechian—fy ffrindiau yn y Résistance Française! Noson y storm fawr, ac fe guraist ti'r ffenest—un, dau, tri, fel 'na.

'Wedyn yr eildro—yn Belsen, roedd 'na storm yr adeg honno hefyd, a phobl yn cwympo'n farw ym mhobman—rhwnc yma, rhwnc fan draw. Sŵn crafu esgyrn a rhincian dannedd!

'A dyma'r trydydd tro i ti redeg ar fy ôl i, yntê? Wel, iawn. Os mai dyna yw dy ddymuniad, cymera fi! Dwi'n barod amdanat ti rŵan, yn hen barod! Ond chei di ddim mynd â'r plant 'na oddi ar eu rhieni, o na chei! Bargen ydy bargen. CYMERA FI YN EU LLE NHW. Tyrd yn dy flaen, y cachgi!'

'O na! Mae'r plant mewn perygl!' gwaeddodd Mam, gan deimlo fel petai ar fin llewygu. Syllai i gyfeiriad y drws, yn chwilio am yr Allanfa agosaf. 'Rhaid i ni fynd i geisio'u hachub nhw. Fy mai i ydy hyn am eu gadael . . .'

'Sgiwsiwch fi,' meddai'r nyrs gan wthio heibio iddi, 'mi alwa i'r doctor—daliwch hi i lawr rhag iddi wneud rhywbeth gwirion,' a phwysodd ar yr *intercom*. 'Nyrs Evans sy 'ma, Ward Dinlle. Anfonwch ddoctor cyn gynted â phosib, plis. Claf Rhif 666.'

'Nyrs, 'drychwch!'

Syllodd y tri mewn anghrediniaeth wrth sylwi fod bysedd Anti Myfanwy wedi troi'n wyrdd ar gynfasau'r gwely. Daeth hen niwl du o rywle, o'r llawr, drwy'r ffenestr, o dan y drws, a chwythai o gwmpas ei gwely fel sidan sinistr a hwnnw'n troi'n haid o grafangau oer a bwyntiai tuag ati a'i bachu, bron . . .

'Aaachchch!' cyfogodd y claf.

Rhedai llifeiriant gwyrdd rhwng ei dannedd, ac i lawr dros ei gên a'i gwddf. Codai plorod hyll dros ei bochau, gan fyrstio un ar ôl y llall, prrrrp prrrrp prrrrp!

Ac o'i gwddf daeth sŵn erchyll. Sŵn crafu esgyrn a rhincian dannedd.

'Melltith y Nefoedd!' sibrydodd Dad. 'Be 'di hyn? Y Pla? A'r fath aroglau!'

Symudodd at y ffenest a'i hagor.

'Clywch!' sibrydodd Mam, gan edrych i gyfeiriad y machlud a chysgodion y tywyllwch. 'Mae 'na sŵn helfa neu rywbeth y tu allan, ar gae'r hofrennydd a—'

'O, clywch y cŵn yn udo! A cheffylau'n dod o bell—O!'

'Storm Awst,' dywedodd Dad yn ddistaw wrth ei chysuro. 'Byddai'n well i ti ffonio Ed rŵan.'

Fflachiodd mellten trwy'r awyr, a diffoddwyd prif gyflenwad y trydan. Goleuwyd y ward fechan â golau argyfwng gwan oedd yn creu cysgodion dwfn o'u hamgylch.

Y tu allan, yn oerwynt y nos, cododd tymestl gan rwygo'r awyr a goleuo'r tywyllwch, fel petai holl bwerau'r Fall yn ymladd y Nefoedd.

Y drwg yn erbyn y da, hyd at farwolaeth. Tywyllwch a goleuni. Ac yn y pellter clywsant gŵn yn cyfarth, a sŵn carnau ceffylau yn taranu tuag atynt.

Dym-y-di-dym.

Dym-y-di-dym.

Dym-y-di-dym-y-di-dym-dym.

Curwyd ar y ffenestr dair gwaith, o'r tywyllwch, cyn iddi agor led y pen.

Rhuodd y corwynt i mewn i'r ystafell, a fflach o ddur. Helmed. Maneg. Clogyn du yn siffrwd. Yn chwyrlïo yn y gwynt o'u cwmpas, yna'n diflannu i'r nos â chysgod Anti o dan ei gesail.

'Aaa!' sgrechiodd Mam, 'gwna rwbath, wir!'

'Aaa!' sgrechiodd y nyrs wrth weld Anti Myfanwy yn cau ei llygaid a'i cheg am y tro olaf, a golwg fuddugoliaethus, ddewr ar ei hwyneb.

Am eiliad, gwelsant hi'n trawsnewid i fod yn

ifanc unwaith eto, yn fythol ifanc a hardd fel yn y llun yn Nhŷ'n-y-Coed.

Arwres oedd hi, hyd y diwedd.

'Anti!'

'O! Anti!' simsanodd Dad. 'Mae hi wedi mynd . . . Welest ti ei chysgod hi'n mynd? Yn diflannu trwy'r ffenestr? Be 'raflwydd—'

'Miss Jones!' tynnodd y nyrs y gynfas dros gorff yr hen wraig, mewn parch.

Diflannodd y niwl. Peidiodd y corwynt. Syllodd y tri tuag allan, mewn syndod. Distawodd y curo ar y ffenestr. Diflannodd y mwgwd a'r faneg, y clogyn a'r cŵn a'r ceffylau, ac aeth cysgod Anti gyda nhw.

Diflannodd Marchogion y Fall a'u brenin fel lladron i'r tywyllwch.

Rhuthrodd newyddiadurwr i mewn.

'Ydy Miss Jones wedi—?'

'Glywson ni ei bod hi ar fin—'

'Marw,' sibrydodd llais o'r cefn.

Fflachiodd y camerâu a'u bylbiau llachar.

'ALLAN!' sgrechiodd y nyrs a gwthio'r criw allan o'r stafell yn ddiseremoni.

8

Curai'r ddrycin yn wyllt yn erbyn ffenestr y parlwr. Hyrddiwyd cangen drwy'r gwydr i mewn i'r ystafell. Chwythwyd y llenni'n llawn fel hwyliau llong.

Cr-a-a-a-sh! Disgynnodd cawod o ddail a darnau o wydr dros bob man.

Sgrechiodd Iolo yn ei gwsg. Cydiodd Ed yn dynn yn ei law a theimlodd ei bŷls a churiad ei galon. Normal! Teimlodd ei dalcen. Dim gwres! Gwrandawodd ar rythm ei anadlu. Rheolaidd!

Dim rhwnc erchyll. Dim sŵn crafu esgyrn, na rhincian dannedd. A dim o'r hen stwff gwyrdd drewllyd 'na chwaith, na niwl yn cripian o gwmpas y lle. Teimlodd ei fochau ei hun a bochau Iolo. Dim plorod o gwbl! DIM PLA!

Ond daria! LLE roedd Dad a Mam? Ac yntau ar ei ben ei hun yn dioddef y fath uffern?

Cofiai'r cyfan. Anti, a'r ddamwain yn y coed. Yr ambiwlans yn ei chludo i ffwrdd. Ei rieni'n diflannu i'r ysbyty. Ffilm. Bwganod. Smonach. Drewdod. Hunllef. A'R BWJIS.

Siawns fod pob dim drosodd rŵan, meddyliodd Ed. Yna clywodd ryw anifail yn udo y tu allan yn yr ardd. Yn sydyn, neidiodd ci hela ffyrnig i'r parlwr, llarpio côt ffwr Anti Myfanwy, rhwygo

Iolo o freichiau ei frawd a'i rowlio fel pelen ar hyd y llawr â'i bawennau budr. Sgrechiodd Iolo mewn poen a braw.

Rhoddodd Ed gic egr i'r bwystfil. Udodd hwnnw mewn poen a sgrialu y tu ôl i'r soffa i'w wylio'n slei, gan adael Iolo ar lawr.

Cododd Ed ei frawd bach i'w freichiau a chydio mewn procer o'r hen simdde fawr. Llamodd y bwystfil tuag atyn nhw a'i weflau'n glafoerio. Chwifiodd Ed y procer o'i flaen a chiliodd y ci ffyrnig. Syrthiodd silff lyfrau ar ei ben, ond dihangodd yn wyrthiol o ddianaf. Cwympodd cwpwrdd cornel hynafol oddi ar wal, gan dywallt y llestri gorau yn deilchion ar hyd y llawr.

'O ble doist ti, y cnaf?' bloeddiodd Ed. Syrthiodd y ffenest—y ffrâm a'r gwydr—yn bentwr i'r stafell.

Drwy'r sgwaryn gwag clywodd sŵn taran yn y pellter. Dym-y-di-dym—o na!

Injan car! Hwrê!

'Mam! Dad!' bloeddiodd nerth esgyrn ei ben. 'Brysiwch adra, da chi!'

Llamodd y ci amdano.

'Allan!' Curodd Ed ef yn galed, dro ar ôl tro, fel milwr dewr, nes iddo neidio trwy'r bwlch, allan i'r ardd a diflannu i gysgodion y wawr.

Teimlai Ed fel arwr y ganrif.

'Wel, be ar y ddaear sy wedi digwydd fan hyn?' gofynnodd Dad wrth gamu i'r ystafell trwy fwlch y ffenestr. 'Brensiach y brain!' Cymerodd Iolo bach i'w freichiau.

'Lle mae Mam?' Ceisiodd Ed gadw ei ddagrau'n ôl a chlosiodd at ei dad.

'Wedi mynd i gadw'r car, 'ngwas i . . . Gwranda, Ed.' Rhoddodd Dad ei fraich am ei ysgwyddau, 'mae arna i ofn bod ganddon ni newyddion drwg i ti . . . am Anti.'

'O?' synhwyrodd Ed y gwaethaf, ac roedd yna bethau eraill yn pwyso ar ei feddwl hefyd. Edrychodd yn euog ar y llanast ofnadwy, a bu bron iddo dorri allan i grio.

'Twt, gliriwn ni hwnna wedyn, 'ngwas i . . . Gwranda, mae hi wedi—' ymbalfalai Dad am y geiriau iawn.

Gwelodd Ed benbleth ei dad. 'Mae Anti wedi marw, felly,' dywedodd yn blwmp ac yn blaen.

Brysiodd Mam atynt o'r diwedd, ar ganol y sgwrs.

'Ed! Iolo! Wel, ie. Druan ohoni . . . roedd hi'n mynd at y Brenin, meddai hi . . . taro bargen. Roedd hi'n ddryslyd iawn erbyn y diwedd . . .'

'Dyna ddigon, cariad,' torrodd Dad ar ei thraws.

'Bargen?' gofynnodd Ed gan syllu'n fanwl o'i gwmpas a'i feddwl yn sboncio. 'Be dach chi'n feddwl?'

'Mwydro, drysu oedd hi 'sti,' mynnai Mam, gan glosio at y plant. 'Deud ei bod hi'n mynd i rywle yn eich lle chi . . . dwn i ddim wir. Ddylen ni byth fod wedi d'adael di dy hun yn y tŷ fel hyn efo Iolo. Diolch i'r drefn eich bod chi wedi dod drwyddi'n iawn, ddweda i—doedd dim sôn am storm pan aethon ni o 'ma, nagoedd? O, brensiach y byd!' a thorrodd i grio.

'Pa fargen, Dad?' pwysodd Ed yr eildro.

'O, wel, fel dwedodd dy fam—y—mi soniodd Anti am daro bargen, 'ngwas i, efo rhyw Frenin y Fall. Deud ddaru hi y basat ti'n siŵr o ddeall. Beth bynnag, roedd hi'n ddewr iawn hyd y diwedd. Mi fydd yr hanes yn siŵr o fod yn y papurau—a hithau wedi achub cymaint o bobl, Iddewon, plant . . .'

Beth oedd y gwir? Teimlai Ed yn ei galon mai rhywbeth i wneud efo byw neu farw oedd y fargen ryfedd yma rhwng ei fodryb a'r marchog, Brenin y Fall.

Brwydr rhwng y Da a'r Drwg. Rhwng Tywyllwch a Goleuni. Roedd y Brenin wedi ei chipio, felly, y trydydd tro, i'w fyd o gysgodion.

Yn union fel y cipiodd y plentyn yn y ffilm o afael ei rieni yn y bwthyn llwm. Cipiodd y bwjis hefyd—Hitler, Elvis, Macsen Wledig, Lleucu Llwyd a James Bond. Bu bron iddo'i gipio yntau, ac Iolo 'run pryd! Ac o ble daeth y bwystfil 'na o gi, tybed? Ci ar grwydr? Ci neb? Na, ci'r brenin oedd o, yn sicr!

Roedd Anti Myfi wedi achub bywydau plant yr Iddewon, dro ar ôl tro, hi a'i chariad Pierre. Hi achubodd yntau ac Iolo hefyd. Aeth yn eu lle i'r tywyllwch, i'r Fall. Dyna'r gwir amdani, meddyliodd Ed. Annwfn. Uffern. Lle bynnag. Roedd hi wedi'i haberthu ei hun i fodloni'r brenin a'i griw, er mwyn eu hanfon i ffwrdd am byth.

'Rydan ni wedi colli rhywun arbennig iawn heno,' meddai Mam wrth setlo'r ddau blentyn yn eu gwelyau, a hithau bellach yn doriad gwawr. 'Rydan ni i gyd yn teimlo'n falch o Anti Myfanwy, a'r hyn wnaeth hi—ac yn falch ohonot tithau, Edwyn, am edrych ar ôl dy frawd bach. Wnawn ni BYTH d'adael di eto, doed a ddelo,' a rhoddodd sws nos da anferthol i'r ddau ohonyn nhw.

Clywodd Ed ei fam yn cerdded yn araf deg i lawr y grisiau ac yna'n oedi yn y cyntedd.

Safai ei rieni'n flinedig o flaen llun Myfanwy Jones S.O.E.—*Secret Operations Executive* 1942-45.

Gwelent hi'n fythol ifanc, yn fythol ddel fel ffilm star, hyd oes oesoedd.

Yn sydyn, syrthiodd y llun i'r llawr, gan dorri'n deilchion. Disgynnodd y plu estrys i'r llawr gan ddangos y cewyll gwag.

Edrychodd y ddau ar ei gilydd, yn methu credu eu llygaid.

'Be sy wedi digwydd i'r bwjis . . ?'